風の オリヴァストロ

Original Edition

ピアノ・ソロ

宮川彬良

全音楽譜出版社

宮川彬良『雪のひとひら』

＝ポール・ギャリコ著『雪のひとひら』より着想＝

オーケストラが先か、ピアノが先か。

ピアノを弾いているといつも思い浮かぶのがオーケストラの音。
押し寄せるティンパニーのクレッシェンド、
繊細なハープのアルペジオ、
遠い目線で歌うバイオリン。
祝福の鐘のようなトランペット etc. etc.

バレエのレッスンピアノを弾く時も、
鍵盤で音を確かめながらペンを五線紙にすべらせる時も、
頭の中は常にオーケストラで一杯。

そんな満タンなオーケストラの響きを、ギュッと絞ってピアノに戻したのが本作品。

ピアノが先か、オーケストラが先か。

その全ての音が、
光りの中で入り混じる。

2012年12月
宮川彬良

風のオリヴァストロ

すべては５年前、１本の電話から始まった。
それは、西洋の名画とその背景を紹介する新しいテレビ番組のテーマ曲の作曲依頼であった。
芸術とはある意味で「結実」と言いかえることができるのでは・・・
そんな思いで作曲したのがこの曲、のちの「風のオリヴァストロ」だ。

2008年３月	AQUOS 美術館「かくて名画は生まれた」（BS-i（現 BS-TBS））のテーマ曲として作曲。
2009年２月	新日本フィルハーモニー交響楽団とのコンサート「コンチェルタンテII」のテーマ曲として、フルオーケストラ版に編曲、初演。以降各地で演奏する。
2012年７月	Victor より宮川彬良オリジナル作品 CD「風のオリヴァストロ」が発売。インストゥルメンタルだった曲に、日本語と韓国語の歌詞がつき、韓国人歌手ソン・シギョン氏が歌う。
2012年11月	ピアノソロ版に編曲。コーラスも加える。

『雪のひとひら』

ある時、舞台関係の友人から一冊の文庫本が届いた。
それがこの、ポール・ギャリコ著『雪のひとひら』、言わずと知れた名作である。
私は１ページ目を開き、１行目を読んだだけで涙を抑えることが出来なかった。
そこには自分が常に追い求めている、はかない命の「誕生」とその「生涯」が描かれていたからである。
私は友人に礼を言うより先に、涙を拭うのも忘れて作曲に取りかかった。

2012年 春	「雪のひとひら」「雨のしずく」「海と太陽」の３曲をオーケストラ曲として作曲。
2012年７月	CD「風のオリヴァストロ」に３曲を収録。
2012年11月	ピアノソロ版に編曲。
2012年12月	オーケストラ版を、原作の朗読と共に初演予定。

音楽劇『ハムレット』より ３つの主題

シェイクスピアの言葉をメロディーにする時、
もしや自分はシェイクスピアと同化しているのでは…と思うことがある。
何のストレスもなく淀みなくあふれ出るメロディー。
ユーモアと影をあやつるためのハーモニー。
そのすべてが、表現に必要な「感性」そのものなのだ、と私は思う。

2002年10月	音楽劇「ハムレット」（栗田芳宏演出）を神戸と東京で初演。全23曲、ピアノと歌で構成した２時間に渡る作品。
2010年 冬	全作品の中から５つのメロディーを抜粋し、オーケストラのための組曲「音楽劇『ハムレット』より５つの主題」として編曲。
2011年３月	さらに３つのメロディーを抜粋し、ピアノのための組曲「音楽劇『ハムレット』より３つの主題」として編曲。
2011年７月	オーケストラ版を初演。以降各地で演奏している。

今日もまた、

ピアノの中から、オーケストラの中から、

メロディーが聴こえる…

CONTENTS

風のオリヴァストロ

宮川彬良　作曲

mf
mp
cresc.
mf
mp
33
Allegretto (Rubato)
poco rit.
p
cresc.
mf
mp

46
49 a tempo
poco rit.
(Pf. solo)
p
51
cresc.
56
57
f
61
mf
poco rit.
65 Andantino (con moto)
65
p cresc.
69
(♩=♪)
poco rit.
70 Tempo I°
ff
f

73
77
81
f
mf
85
86
p
89
mp
p
rit.
92 Meno mosso
f cresc.
93
fff
3
p

雪のひとひら

宮川彬良　作曲

16
cresc.
19
mf
p
f
22
mf
dim.
mp
25
25
28
poco a poco cresc.
31
mf

34
37
mp
poco a poco
40
cresc.
43
sf
sf
46
47
mp

49
52
cresc.
mf
7
55
55
f
58
61
f
poco rit.
cresc.

64
a tempo
ff
mf
67
70
dim.
mp
p
73
rit.
3
pp
75
Allegretto Pregando
78
83
dolce
Poco più mosso
f

88
rit.
91
a tempo
mp
98
103
cresc.
Con moto
accel.
mf
108
109
Più mosso (Allegro assai)
(p)
poco a poco cresc.
mf
112
sf
sf
mf

poco rit.
118 Tempo I° (Grandioso)
116
sf
5
ff
f
119
122
dim.
126
125
mp
128
131
poco a poco cresc.

134
fp
cresc. molto
137
rit.
ff
140
f
dim.
mp
143
molto rit.
p
ppp
p
147 Poco meno mosso
147
rit.
mp
(non arp.)
pp

雨のしずく

宮川彬良　作曲

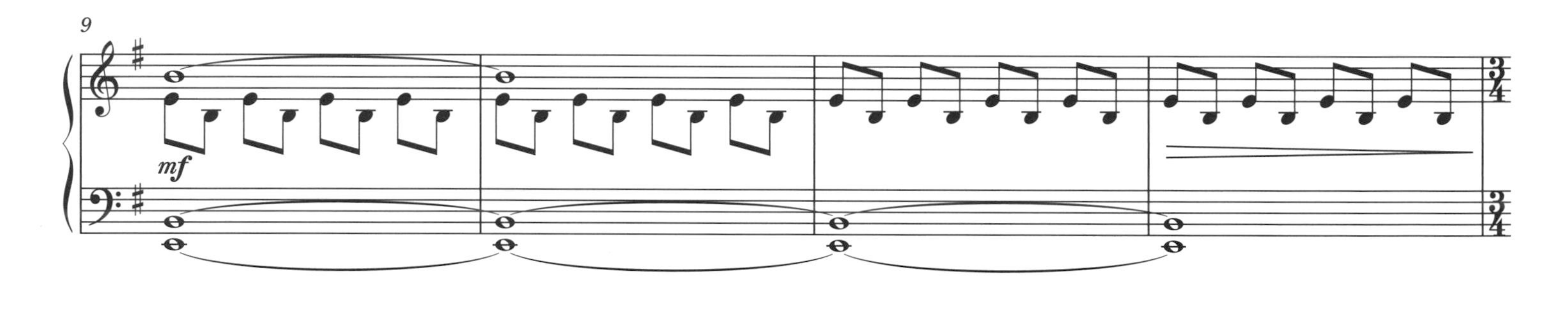

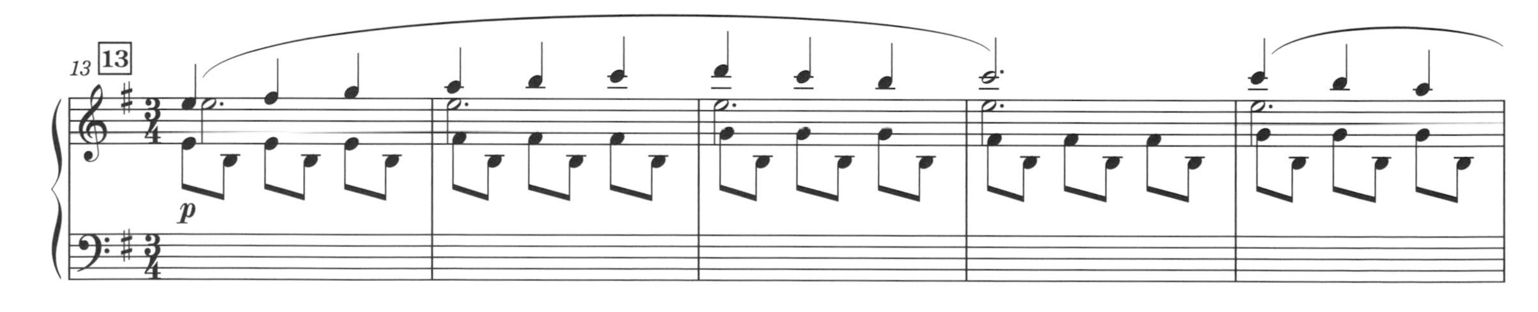

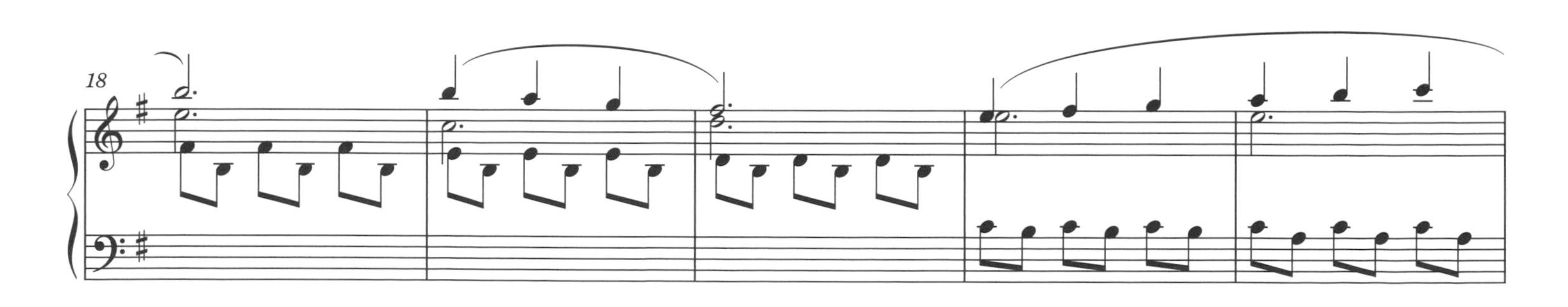

mf
p
cresc.
p
p
cresc.
f
fp

51
51
molto marc.
p
f
mf
56
cresc.
f
59
molto marc.
p
60
f
mf
65
cresc.
67
f
70
75
ff

80
dim.
p
cresc.
85
ff
sf
sf
sf
90
p
(Ped.)
92
95
99
5
sf
5
mf
cresc.
103
ff
1.
sf
p

2.
109
f
sffz
113
f marc.
114
poco a poco cresc.
119
124
129 Con fuoco
129
ff
134
8va
cresc.
9
sffz
fff

海と太陽

宮川彬良　作曲

18
mf
mp
dim.
p
22
3
cresc.
3
mp
25
pp cresc.
mf
mp
29
dim.
p
33
cresc.
f
mf

37
mp
p
poco rit.

41
a tempo
pp
p

45

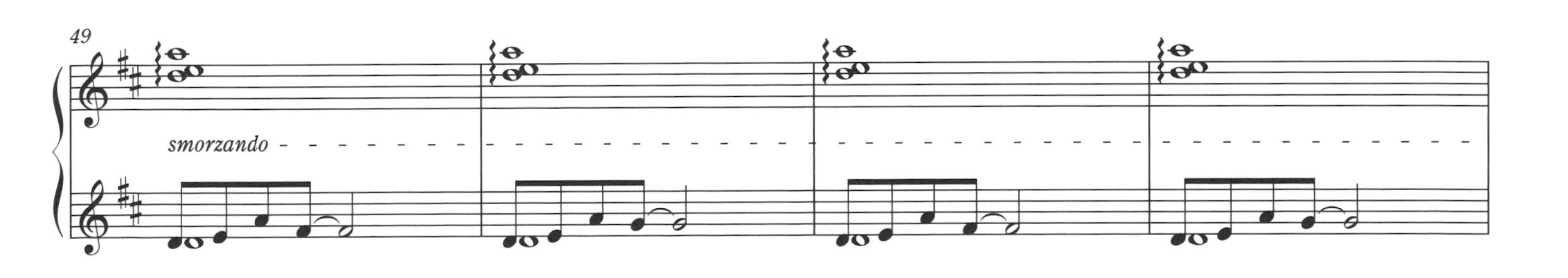
49
smorzando

53

音楽劇『ハムレット』より３つの主題

Ⅰ. ピラスの刃

宮川彬良　作曲

25
30
f
35
40
mf
cresc.
45
f
cresc.
ff
50
sf
mp

55
60
65
cresc.
70
Con fuoco
f
75
80

85
cresc.
poco rit.
sf
6
89
a tempo
più f
sf
gliss.
94
f
3
99
sf
gliss.
f
5
104
ff
più f
108
3
più f

112
mf
116
121
cresc.
126
sf
sf
ff
131
sf
p
135

139
143
147
cresc.
sf
Allargando
Più mosso
152
sf
sf
fp
cresc.
157
f
sf
3
3
fff

Ⅱ. 手負いの鹿

宮川彬良　作曲

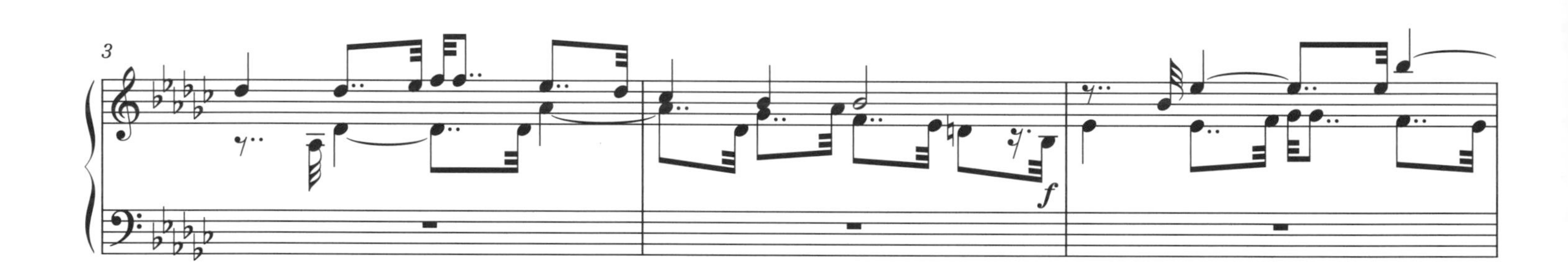

※ ♪..♬の複付点はほとんど♪..♬(6)に等しい

12
f
15
Tranquillo (più Allegro)
mp
18
21
cresc.
mf
p
dim.
24
Più mosso
sf
p
3
3

Scherzando Allegro Moderato

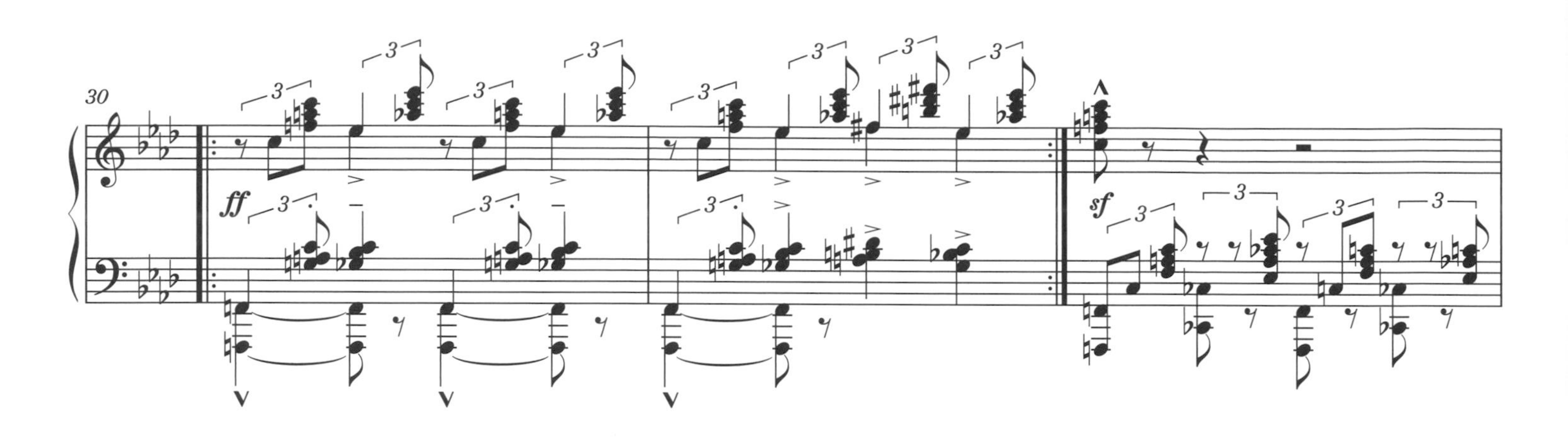

42
sf
mf
45
48
sf
51
ff
p
cresc.
54
sf
ff

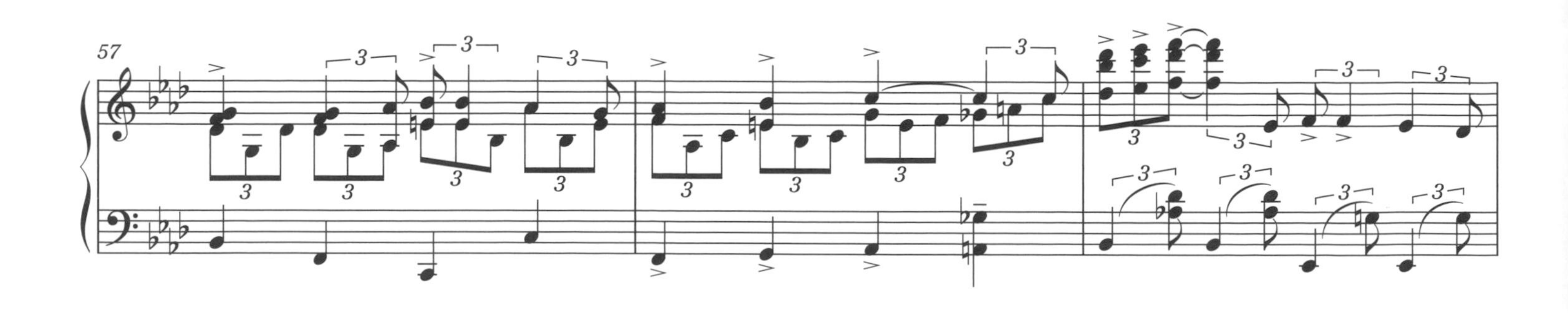
57

60
mf
cresc.

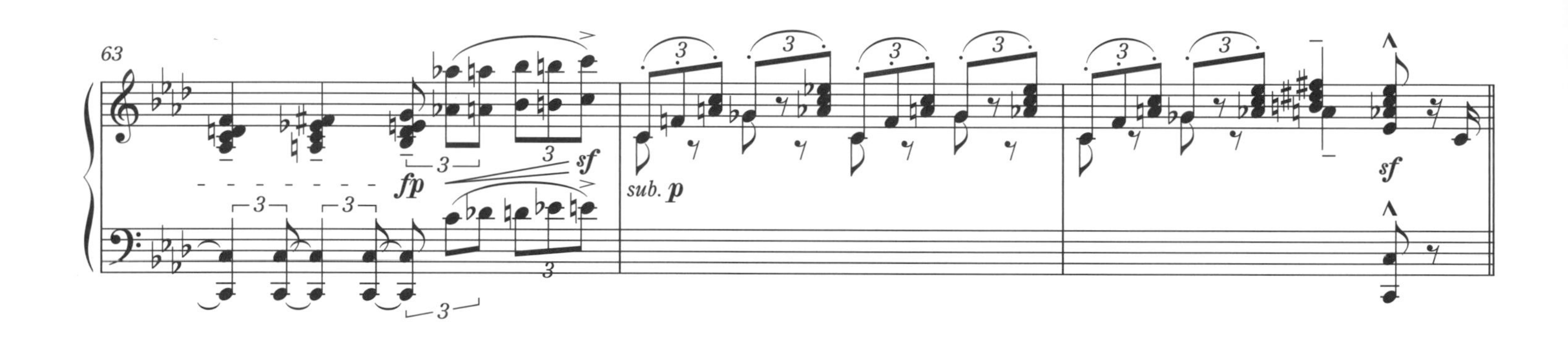
63
fp
sf
sub. p
sf

66
mf

69

72
sf
ff
75
78
sub. p
pp
81
cresc.
mf
p cresc.
84
marc.
fff
sffz

Ⅲ. あの人はもういない

宮川彬良　作曲

31
p
36
mf ad lib.
39
42
f
ff
46
dim.
p
51
smorzando

Ⅳ. 沈黙の後に

30
p
cresc.
dim.
Allegro con forza
36
sub. ff
sf
mp
41
46
51
cresc.

56
Con fuoco
f
62
67
72
cresc.
poco rit.
sf
6
a tempo
77
più f
sf
gliss.
82
3
f

87
gliss.
sf
f
5
92
ff
più f
96
più f
100
mf
104
109
cresc.

114
sf
sf
ff
119
sf
p
123
127
131

135
139
cresc.
sf
Allargando
Più mosso
144
sf
sf
fp
cresc.
149
f
sf
ff
mf
153
8va
fff

風のオリヴァストロ

パラメ オルリヴァストゥロ
바람의 올리바스트로

安田佑子　日本語作詞
イ・ミナ　韓国語作詞
宮川彬良　作曲

8
ー な が れ る ー な み だ と
ー 같 은 바 람 ー 한 번 쯤 은
ー カッ トゥン パ ラム ー ハン ボン チュ ムン
mp
12
ー こ ど く を そ っ と な で る
ー 그 대 얼 굴 어 루 만 져 주 기 를
ー ク デ オル グル オ ル マン ジョ ジュ ギ ルル
16
poco rit.
17 a tempo
ー お も っ て い た よ り そ こ は
ー 잘 지 내 라 인 사 도 못 한 이 별
ー チャル チ ネ ラ イン サ ド モッ タン イ ビョル
mp

20
ー へ い わ で お だ や か で す か
ー 혼 자 남 은 그 대 울 고 있 다 면
ー ホン ジャ ナ ムン ク デ ウル ゴ イッ タ ミョン
mf
24
ー あ な た が ー あ い た か っ
ー 눈 물 흘 러 ー 젖 은 얼 굴 위
ー ヌン ムル フル ロ ー チョ ジュン オル グル ウィ
OOH
OOH
mp
cresc.
28
た ひ と に あ え ま し た か
로 그 바 람 이 불 어 닥 아 주 기 를
ロ ク バ ラ ミ ブ ロ タッ カ ジュ ギ ルル
OOH
mf
mp

33 Allegretto (Rubato)
32
poco rit.
male or solo
ー こ の せ か い に の こ さ れ た こ
ー 끝 이 아 니 란 걸 그 대 도 알 았 으
クッ チ ア ニ ラン ゴル ク デ ド ア ラッ ス
p
36
と り ゆ う は み ら い は ど こ に あ る の か み
면 언 젠 가 는 우 리 다 시 만 날 수 있 다 는 걸 아
ミョン オン ジェン ガ ヌン ウ リ タ シ マン ナル ス イッ タ ヌン ゴル ア
cresc.
41
あ げ れ ば と お く と お く ふ た り で み
주 오 래 전 ー 함 께 보 았 던 하 늘 그 어 디
ジュ オ レ ジョン ー ハム ケ ポ アッ トン ハ ヌル ク オ ディ
female chor.
OOH
OOH
mf
mp

46
poco rit.
49 a tempo
た あ の ひ の そ ら ー
쯤 내 가 있 다 는 걸 ー
チュム ネ ガ イッ タ ヌン ゴル ー
OOH
(Pf. solo)
p
51
female chor.
p
cresc.
OOH
cresc.
56
male or solo f
57
ま も れ な い や く そ く が
조 금 빠 르 게 헤 어 졌 지 만
チョ グム パ ル ゲ ヘ オ ジョッ チ マン
f
OOH
OOH
Lu Lu
f

61
poco rit.
…い ま も む ね に
서 러 워 말 아 요
ソ ロ ウォ マ ラ ヨ
Lu Lu Lu Lu Lu Lu Lu
mf
65 Andantino (con moto)
male or solo
オ リ ー ヴ の み が か ぜ に ゆ れ る お か で ー
나 나 나 나 나 나 나 나 나 나 나 나 나 나 나 ー
ナ ナ ナ ナ ナ ナ ナ ナ ナ ナ ナ ナ ナ ナ ナ ー
female chor.
Lu
Ah
Ah
p cresc.
69
poco rit.
chor. A
70 Tempo I°
ー い つ か は き っ と だ れ も が
ー 흘 러 가 는 영 원 한 시 간 속 에
ー フル ロ ガ ヌン ヨ ウォ ナン シ ガン ソ ゲ
chor. B
ff
f

73
ー た び だ つ そ の ば しょ か ら
ー 모 두 잠 시 머 물 다 떠 날 뿐
ー モ ドゥ チャム シ モ ムル ダ ト ナル プン
77
ー と ど く よ ー い と し い か
ー 그 짧 았 었던 ー ー 시 간 속 에
ー ク チャル バッ ソットン ー ー シ ガン ソ ゲ
と ど く い と し い か
81
ぜ わ た し の こ こ ろ ま で
서 우 리 는 만 나 행 복 했으 니
ソ ウ リ ヌン マン ナ ヘン ボッ ケッス ニ
ぜ
f
mf

85
86
ー め を と じ ー み み を す ま
ー 먼 훗 날 에 ー 다 시 만 났 을
ー モン フン ナ レ ー タ シ マン ナッ スル
OOH
p
89
rit.
92 Meno mosso
す あ な た を お も い な が ら
땐 웃 으 면 서 잘 지 냈 었 냐 고
テン ウ ス ミョン ソ チャル チ ネッ ソン ニャ ゴ
mp
p
f cresc.
93
ー きょ う も…
ー 그 때 는
ー クッ テ ヌン…
fff
3
p

風のオリヴァストロ

作詞：安田佑子

目を閉じ
耳を澄ませば
聞こえるあなたの風
流れる涙と孤独をそっと撫でる

思っていたよりそこは
平和で穏やかですか

あなたが会いたかった
人に会えましたか

この世界に残されたこと
理由は？
未来は？
どこにあるのか

見上げれば　遠く遠く
２人で見たあの日の空

守れない約束が　…今も胸に

オリーヴの実が風に揺れる丘で

いつかはきっと誰もが
旅立つその場所から
届くよ　愛しい風
私の心まで

目を閉じ耳を澄ます
あなたを思いながら

今日も…

바람의 올리바스트로

작사 : 이미나

그 언젠가 나를 스쳐간 바람
멀리 멀리 온 세상을 돌아
같은 바람 한번쯤은
그대 얼굴 어루만져 주기를

잘 지내라
인사도 못한 이별
혼자 남은 그대 울고 있다면
눈물 흘러 젖은 얼굴 위로
그 바람이 불어 닦아주기를

끝이 아니란 걸 그대도 알았으면
언젠가는 우리 다시 만날 수 있다는 걸
아주 오래 전 함께 보았던 하늘
그 어디쯤 내가 있다는 걸

조금 빠르게 헤어졌지만
서러워 말아요

흘러가는 영원한 시간 속에
모두 잠시 머물다 떠날 뿐
그 짧았었던 시간 속에서
우리는 만나 행복했으니

먼 훗날에 다시 만났을 땐
웃으면서 잘 지냈었냐고

그때는

© Mikako Ishiguro

作曲家・舞台音楽家

宮川彬良（みやがわ あきら）

1961年2月18日、東京生まれ。

東京藝術大学在学中より劇団四季、東京ディズニーランドなどのショーの音楽を担当。その後数々のミュージカルなどを手掛け、舞台音楽家としての地位を確立。代表作「身毒丸」「シャンポーの森で眠る」「ミラクル」「ハムレット」「マクベス」「家なき子」「血の起源」「星の王子さま」「ルビチ」「ザ・ヒットパレード」「ムサシ」「欲望という名の電車」など。1996年「身毒丸」で第4回読売演劇大賞・優秀スタッフ賞を受賞、2000年「ミラクル」で東京都演劇フェスティバル優秀賞を受賞。2005年「ハムレット」（再演）で第12回読売演劇大賞・優秀スタッフ賞を受賞。 2004年には、松平健のショーのために作曲した「マツケンサンバⅡ」が大ブレイク、舞台音楽からヒット曲を送り出した。

一方で演奏活動もめざましく、1995～2010年には大阪フィル・ポップス・コンサートの音楽監督・常任指揮者、1998年～「宮川彬良＆アンサンブル・ベガ」音楽監督を務めている。大阪市音楽団との共演による吹奏楽ショー「宮川彬良＆大阪市音楽 Dahhhhn!」、サックス奏者・平原まこととの「アキラさんとまこと君ふたりのオーケストラ」、歌手・岡崎裕美との「未来の音楽授業！アキラ塾」などを中心に、日本全国でコンサートを行っている。自身で、作曲、編曲、指揮、ピアノ演奏、解説を行いながら進めるコンサートは、誰もが楽しめ親しみやすいと定評がある。2009年からは、自身が長年あたため続けてきた企画「コンチェルタンテⅡ～宮川彬良 vs 新日本フィルハーモニー交響楽団」を立ち上げ、全く新しいタイプのオーケストラコンサートを展開し、好評を得ている。

2003～2010年 NHK 教育テレビ「クインテット」、2009～2010年 NHK-BS2「どれみふぁワンダーランド」の音楽を担当、出演。2011年～2012年 NHK-BS プレミアム「宮川彬良のショータイム」では、自ら企画も手掛けた。舞台、コンサート、テレビ、ラジオ、アーティストとのレコーディングセッションなど、多岐に渡るジャンルで活躍している。

所属団体　日本著作権協会会員・日本作編曲家協会会員 (JCAA)

宮川彬良公式ＨＰ http://www.akira-miyagawa.com/

■ 宮川彬良：風のオリヴァストロ

12120126

日本音楽著作権協会（JASRAC）(出)許諾第1214602-201号
(許諾番号の対象は、当該出版物中、当協会が許諾することのできる著作物に限られます。)

作曲——宮川彬良
表紙デザイン——船柳　恵
第1版第1刷発行——2012年12月15日
発行——株式会社全音楽譜出版社
——東京都新宿区上落合2丁目13番3号 〒161-0034
——TEL・営業部 03·3227-6270
——出版部 03·3227-6280
——URL http://www.zen-on.co.jp/
——ISBN978-4-11-178951-1